書き込み式 新いいこと日記

2022年版

中山庸子

new iikoto diary 2022

原書房

はじめに

「いいこと日記」とは……〈いいこと〉をメインに書く日記！
そして書いているうちに、どんどん〈いいこと〉が増えていく日記です。
気軽につけられて、あなたの毎日がもっと楽しくなる
「いいこと日記」には5つの大きな特徴があります。

1

〈いいこと〉をメインに書くので、
明るく前向きな気持ちになれる。

2

〈いいこと〉を見つけるのが上手になり、
ますます〈いいこと〉が増える。

3

日記の中に〈いいこと〉が並んでいて、
読み返すたびに幸せになれる。

4

うまくいかなかった日も、書いているうちに
気持ちの整理ができ、
見逃していた〈いいこと〉が見つかる。

5

「いいこと日記」は〈なりたい自分〉や
〈夢実現〉に大いに役立つ。

4、5ページでは、カラーで「こんなつけ方できます」という
サンプルを用意しました。また今回は6～8ページに、
「各月のいいことギャラリー」を設けてあります。
他にも日記部分だけでなく、
たくさんの〈いいこと〉関連のページが用意されています。
「いいこと日記」の著者はあなた！　そして愛読者もあなた！
自分らしく楽しく、さあ始めましょう！

まずは、基本ページをご紹介

フリースペース

月初めや月終わりのページにある点線に囲まれたスペース。思いついた〈いいこと〉をメモしたり、フリースペースとして活用してみて！

グリッドページ

日記ページの右側は使いやすい格子状になっています。切り抜きも貼りやすいし、図やグラフ、表なども上手に描けてとっても便利！

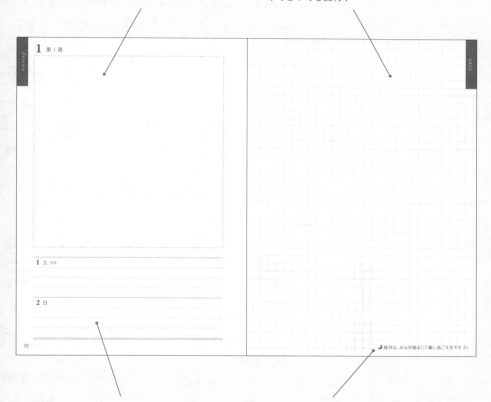

日記ページ

１日分の日記スペースです。目安として４行になっていますが、使い方は自由。その日の〈いいこと〉を自分らしく記してみましょう！

今週のひとこと

〈いいこと〉を呼びやすくする今週のひとことがあります。★はご利益ゲット、♦は生活の知恵、♥は心の持ち方のジャンル分けがされています。☽はその月の和風月名の説明です。

3

こんなつけ方できます

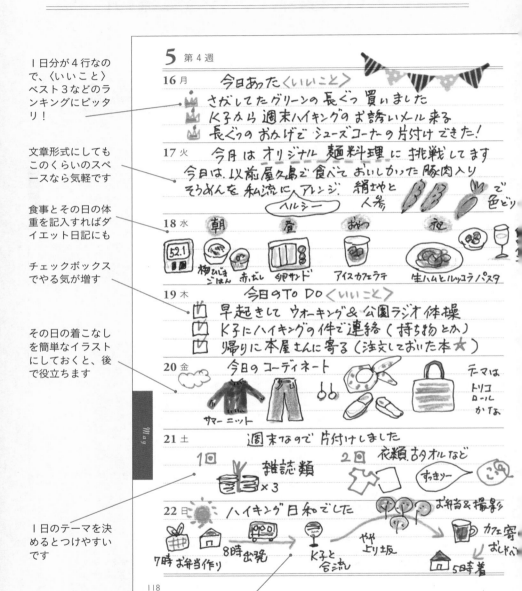

1日分が4行なので、〈いいこと〉ベスト3などのランキングにピッタリ!

文章形式にしてもこのくらいのスペースなら気軽です

食事とその日の体重を記入すればダイエット日記にも

チェックボックスでやる気が増す

その日の着こなしを簡単なイラストにしておくと、後で役立ちます

1日のテーマを決めるとつけやすいです

5 第4週

16 月　今日あった〈いいこと〉
さがしてたグリーンの長ぐつ買いました
K子から週末ハイキングのお誘いメール来る
長ぐつのおかげでシューズコーナーの片付けできた!

17 火　今月はオリジナル麺料理に挑戦してます
今日は、以前屋久島で食べておいしかった豚肉入り
そうめんを私流にアレンジ。絹さやと　ヘルシー　人参　で色どり

18 水　朝　昼　おやつ　夜
52.1
柿びしょごはん　赤だし　卵サンド　アイスカフェラテ　生ハムとルッコラパスタ

19 木　今日のTO DO〈いいこと〉
早起きしてウオーキング&公園ラジオ体操
K子にハイキングの件で連絡(持ち物とか)
帰りに本屋さんに寄る(注文しておいた本★)

20 金　今日のコーディネート
サマーニット　テーマはトリコロールかな

21 土　週末なので片付けしました
1回　雑誌類　×3　2回　衣類 古タオルなど　すっきりー　これ

22 日　ハイキング日和でした
7時 お弁当作り　8時 お発　K子と合流　やや上り坂　お弁当&撮影　カフェ寄りおしゃべり　5時着

118

May

矢印とイラストの組み合わせでも楽しい

4

1日ごとに、つけ方のサンプルを7パターン用意しました。
参考にしてみてください！

グリッドページは
基本的に何でもア
リ！ 気が向いた
時にビジュアル重
視で楽しく作って
みましょう

レシピなども書い
ておくと後で役立
ちます

実物のシールを貼
って、テンション
UP！

スペースを空けておいて、後から写真などを貼っても可

各月のいいことギャラリー

1月

プチお汁粉

鏡開きのお餅をこんがり焼いて、メデタイ和スイーツに仕上げます。

2月

花布巾

さらしに針を運び、美しい模様ができたら素敵な花布巾の完成です。

3月

ピンク・コーデ

色別収納のおかげで、3月らしいピンク・コーデも気軽にできます。

4月
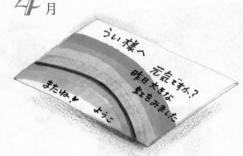

週いちハガキ

週に1枚ハガキを書くことにしました。一人目は孫娘のういちゃんへ。

2022年は、大切にされてきた暦からの〈いいこと〉を
ちょっぴり取り入れてみたいと思います。22・23ページで各月の扉エッセイの
冒頭に登場する二十四節気や七十二候の簡単な説明をさせてもらいました。
ここでは、そんな各月の旬を楽しむアイテムをイラストでご紹介します。

5月

菖蒲湯

自宅のお風呂でも菖蒲湯にすれば、
端午の節句らしさを味わえます。

6月

梅シロップ

健康パワーが詰まった梅の実も一緒
にいただく梅シロップの炭酸割です。

7月

ほおずき

ほおずきは厄除けの縁起物、眺めて
いるだけで幸せな子供に戻れそう。

8月

置き風鈴

ガラスの江戸風鈴は口をギザギザに
カット、よりいい音色になります。

各月のいいことギャラリー

9月

菊花茶

乾燥させた菊花にお湯を注げば、香りと花びらがフワッと広がります。

10月

読書週間

読書の秋は、コーヒーやスイーツをお供にゆったり時間を過ごします。

11月

鍋はじめ

お気に入りの土鍋が出てきた途端、食卓周りがほっこり温かくなります。

12月

冬至の柚子湯

柚子湯に浸かり、今年もよくがんばった自分をねぎらってあげましょう。

contents

目次

〈いいこと〉を生み出し活用するための

いいこと法則 *10*

1　肝心なのは事実より解釈

2　自己新はいつでも出せる

3　〈グチりたい自分〉に対処する

4　ささやかな〈いいこと〉はかさ増ししよう

5　〈いいこと〉変換装置を持つ

6　すぐにできる〈いいこと〉リストを作る

7　忘れていいことと忘れたくないことを区別

8　あたりまえこそが〈いいこと〉

9　自分の字で書く習慣をつける

10　〈いいこと〉に年齢制限はない

my data
わたしのデータ

氏名	生年月日
住所	
電話	FAX
携帯	E-Mail

身長	体重	血液型	星座

家族	仕事

趣味

得意わざ

好きな本	憧れの人

好きな時間

好きな言葉

2022

	1 Jan.	2 Feb.	3 Mar.	4 Apr.	5 May	6 Jun.
1	土	火	火	金	日	水
2	日	水	水	土	月	木
3	月	木	木	日	火	金
4	火	金	金	月	水	土
5	水	土	土	火	木	日
6	木	日	日	水	金	月
7	金	月	月	木	土	火
8	土	火	火	金	日	水
9	日	水	水	土	月	木
10	月	木	木	日	火	金
11	火	金	金	月	水	土
12	水	土	土	火	木	日
13	木	日	日	水	金	月
14	金	月	月	木	土	火
15	土	火	火	金	日	水
16	日	水	水	土	月	木
17	月	木	木	日	火	金
18	火	金	金	月	水	土
19	水	土	土	火	木	日
20	木	日	日	水	金	月
21	金	月	月	木	土	火
22	土	火	火	金	日	水
23	日	水	水	土	月	木
24	月	木	木	日	火	金
25	火	金	金	月	水	土
26	水	土	土	火	木	日
27	木	日	日	水	金	月
28	金	月	月	木	土	火
29	土		火	金	日	水
30	日		水	土	月	木
31	月		木		火	

	7 Jul.	8 Aug.	9 Sep.	10 Oct.	11 Nov.	12 Dec.
1	金	月	木	土	火	木
2	土	火	金	日	水	金
3	日	水	土	月	木	土
4	月	木	日	火	金	日
5	火	金	月	水	土	月
6	水	土	火	木	日	火
7	木	日	水	金	月	水
8	金	月	木	土	火	木
9	土	火	金	日	水	金
10	日	水	土	月	木	土
11	月	木	日	火	金	日
12	火	金	月	水	土	月
13	水	土	火	木	日	火
14	木	日	水	金	月	水
15	金	月	木	土	火	木
16	土	火	金	日	水	金
17	日	水	土	月	木	土
18	月	木	日	火	金	日
19	火	金	月	水	土	月
20	水	土	火	木	日	火
21	木	日	水	金	月	水
22	金	月	木	土	火	木
23	土	火	金	日	水	金
24	日	水	土	月	木	土
25	月	木	日	火	金	日
26	火	金	月	水	土	月
27	水	土	火	木	日	火
28	木	日	水	金	月	水
29	金	月	木	土	火	木
30	土	火	金	日	水	金
31	日	水		月		土

2022年
100の夢ノート

「いいこと日記」をつけるのと並行して、
ぜひ記しておきたい夢ノート。
大きい夢から小さい夢まで、
今年やりたいことを**100**個書き出していきましょう。
かなったらシールかマークをつけましょう！

〈いいこと〉をたくさん呼び寄せるために欠かせないのが、
〈夢〉の存在です。
誰でも、夢や願望がかなえば嬉しいし、自分に自信がつきます。
しかし、意外に〈自分の夢〉がなんであるかよくわからない場合も多く、
かつての私も〈自分の夢〉をちゃんと把握できずに
漠然と暮らしていたうちのひとりでした。
そこで、書き込み式「いいこと日記」には
「これが欲しい、こんなことをしてみたい」という〈かなえたい夢〉を
書き出せる「夢ノート」のコーナーを設けることにしました。
大きな夢、小さな夢、立派な夢、ささやかな夢……いろいろありますが、
どれも自分にとっては大切な夢なので、
区別せずに思いついたらすぐに書き出すようにしたいのです。
夢は100個くらいあったほうが、毎日が楽しいというのが私の持論。
夢がたくさんあれば、当然かなう数も多いし、
かなった時に〈いいこと〉として書けるからです。

夢ノート、書き方のコツ

例えば……

● 健康で心地よく暮らす
● ３キロ、ダイエットする
● 100万円貯金する
● 笑顔美人になる
● まったり温泉旅行
● テラスでハーブを育てる
● お手紙上手になる　etc……

大きい夢、小さい夢。
立派な夢、ささやかな夢。
具体的な夢、漠然とした夢。

なんでもOK！
思いついた順に書いていきましょう。

1
2
3
4
5
6
7
8
9
10

11	
12	
13	
14	
15	
16	
17	
18	
19	
20	
21	
22	
23	
24	
25	

26

27

28

29

30

31

32

33

34

35

36

37

38

39

40

41	
42	
43	
44	
45	
46	
47	
48	
49	
50	
51	
52	
53	
54	
55	

56

57

58

59

60

61

62

63

64

65

66

67

68

69

70

71

72

73

74

75

76

77

78

79

80

81

82

83

84

85

86	
87	
88	
89	
90	
91	
92	
93	
94	
95	
96	
97	
98	
99	
100	「いいこと日記」をめでたく完成させる。

各月の扉について

　二十四節気は太陽の動きを季節の目安とし、1年を24等分したもので、それぞれの日数は約15日。季節の移ろいが分かるように、天候や農作物の成長を表わす素敵な名前がついています。

　その二十四節気をさらに3等分すると七十二候になります。5日程度の短い期間の中に、気象の変化や動植物の様子などを情緒ある短文で表したものです。

　今回の扉エッセイに登場する12種類の名称の両方の意味を、ここで簡単に説明しておきます。もっと詳しく知りたい人は、ぜひ調べてみて下さいね！

	二十四節気	七十二候
1月5日〜 1月19日	小寒（しょうかん） 寒さが極まるやや手前の頃のこと。次の節気が「大寒」で寒が開けると立春になります。	10日〜14日 水泉動く（すいせんうごく） 「水泉」とは、地中から湧き出る泉のこと。地上は寒さの只中でも地中では凍っていた泉が動き始め、春への気配が感じられます。
2月4日〜 2月18日	立春（りっしゅん） 初めて春の兆しが見えてくる頃のこと。「立春大吉」と書いて、一年を無事に過ごします。	2日〜8日 東風凍を解く（とうふうこおりをとく） 「東風」とは春風のこと。「こち」とも読みます。まだまだ寒さの残る時期ですが、川や湖の氷が解け出し、少しずつ春を呼びます。
2月19日〜 3月4日	雨水（うすい） 降る雪が春のやさしい雨へと変わり、雪解けをうながす頃。その水が、田畑を潤おします。	3月1日〜4日 草木萌え動く（そうもくもえうごく） 柔らかい陽光の下で、草木が芽吹き始めます。「萌え」とは草木が芽を出すこと。この時期になると、明るい春の気配が増してきます。
4月5日〜 4月19日	清明（せいめい） 「清浄明潔」の略。花咲き、鳥歌い、すべてのものが清らかで生き生きする頃のこと。	15日〜19日 虹始めて見る（にじはじめてあらわる） 春が深くなると空気に水分が含まれ、雨上がりの空に虹が見られるようになります。春の虹のすぐに消えてしまうはかなさも魅力です。
5月5日〜 5月20日	立夏（りっか） しだいに夏めいてくる頃のこと。緑の中、さわやかな風が吹く五月晴れの季節です。	5日〜10日 蛙始めて鳴く（かえるはじめてなく） 田んぼや野原で、蛙が鳴き始める頃。鳴き声はオスからのラブコールだとか。あぜ道を歩くとピョンと飛び出してくるかもしれません。
6月6日〜 6月20日	芒種（ぼうしゅ） 稲など穂の出る植物の種を蒔く頃のこと。芒とは稲の穂先にある針のような突起のこと。	16日〜20日 梅子黄なり（うめのみきなり） 梅の実が熟して色づく頃。「梅雨」の語源は「梅が熟す頃の雨」だとも言われています。「梅の実黄ばむ」という言い方もあります。

❶和風月名と呼ばれる月の和風の呼び名。旧暦の季節や行事にちなんでいます。

❷❸の日がどの二十四節気にあたるかを記しています。

❸和暦の中からその月らしい１日を選んでみました。

❹その日がどの七十二候にあたるかを記しています。

1 睦月 ❶

❷　　❸　　❹
11日　小寒　水泉動く

	二十四節気	七十二候
７月７日〜 ７月22日	小暑（しょうしょ） そろそろ梅雨が明け本格的な夏になる頃のこと。小暑から立秋までが暑中見舞いの時期。	７日〜11日 温風至る（おんぷういたる） 雲間からの日ざしが日に日に強くなり、夏の風がじんわりした熱気を運んでくる頃のこと。温風を「あつかぜ」と呼ぶ場合もあります。
８月７日〜 ８月22日	立秋（りっしゅう） 暦の上では秋になりました。実際はまだまだ暑いけれど秋の気配を少しでも探したい。	７日〜12日 涼風至る（りょうふういたる） 涼しい風が初めて立つ頃。日中の日差しの下で実感するのは難しいけれど、日が落ちれば暑さがやや和らぎ、風も涼しく感じられます。
９月８日〜 ９月22日	白露（はくろ） 白露とは、大気が冷えて草に露が宿る頃のこと。ようやく残暑が引いて、秋が訪れます。	８日〜12日 草露白し（くさのつゆしろし） 大気が冷えて晴れた秋の夜が続き、朝には草の上に露が降って白く光って見えます。露は別名「月の雫」とも言われ、ロマンチックです。
10月23日〜 11月６日	霜降（そうこう） 霜降とは、朝夕に冷え込みが増し霜が降りる頃のこと。山から里へと霜がやってきます。	23日〜27日 霜始めて降る（しもはじめてふる） 霜が初めて降る頃のこと。農作物にとって霜は大敵なので、気をつけるようにとつけられたのでしょう。秋から冬へ季節の進みを実感。
11月７日〜 11月21日	立冬（りっとう） 木々の葉が落ちて風も冷たくなり、冬の気配が山にも里にも感じられてくる頃のこと。	７日〜11日 山茶始めて開く（つばきはじめてひらく） 候には「つばき」とありますが、ツバキ科の山茶花（さざんか）のこと。童謡「たき火」にも歌われている初冬の代表的な花です。
12月22日〜 １月５日	冬至（とうじ） 最も昼が短く夜が長い頃。ここから日が延びるので、古代は冬至が１年の始まりでした。	22日〜26日 乃東生ず（なつかれくさしょうず） 冬になり草木が枯れていく中で、乃東ことウツボグサだけが、緑の芽を出すことが由来です。夏至（６月22日頃)の「乃東枯る」と対に。

1 睦月

★プチお汁粉はいかが？

　今年の各月の扉エッセイのテーマは「旬な日のお楽しみ」です。ちょっぴり和暦の二十四節気や七十二候を意識しつつ、★ご利益ゲット、♥生活の知恵、♥心の持ち方の各ジャンルの中から楽しく実行できそうな旬の出来事を選んでお話しできたらと思っています。

　さて1月11日は、お正月に迎えた年神様を送り出す「鏡開き」。お供えしていた鏡餅を下げて皆で食べる日です。この鏡餅は年神様からいただくパワーフードなので、できれば包丁で切らず、木槌などで割る（開く）方がよりご利益があるらしい。ちょっとメデタイ行事らしさも出るので、我が家の鏡餅は小さいけれど今年は試してみようかな。

そして、そんなメデタイお餅はやっぱりお汁粉にしたいですね。小豆は和のスイーツ食材の代表だし、昔から穢れを払うとされてきたパワーフード。朱塗りの小ぶりのお椀に入れたプチお汁粉、いただきま〜す。お餅と小豆のご利益パワーのおかげで、今年も〈いいこと〉にたくさん出会え、充実した「いいこと日記」にできそう。そんな気分になれる幸せな甘さです。

プチお汁粉作り方（2人分）
割った餅をオーブントースターでこんがり焼く
鍋に水1カップと小豆餡150ｇを入れて弱火で煮る
塩少々を加え、餅を入れて盛り付ける
（塩の代わりに醤油をちょっぴり入れてもおいしいです）

1

月 *Monday*　　　火 *Tuesday*　　　水 *Wednesday*

Weekly to do			
- - - - - - - - - -			
	3 赤口	**4** 先勝	**5** 友引
	10 先勝 成人の日	**11** 友引	**12** 先負
	17 友引	**18** 先負	**19** 仏滅
	24 先負 **31** 仏滅	**25** 仏滅	**26** 大安

木 *Thursday*	金 *Friday*	土 *Saturday*	日 *Sunday*
		1 先負	**2** 仏滅
		元日	
6 先負	**7** 仏滅	**8** 大安	**9** 赤口
13 仏滅	**14** 大安	**15** 赤口	**16** 先勝
20 大安	**21** 赤口	**22** 先勝	**23** 友引
27 赤口	**28** 先勝	**29** 友引	**30** 先負

1月にしたいこと

欲しいもの、したいこと、行きたいところ。
月の初めに記しておきましょう。
そして月の終わりに、
できたかどうかを □ にチェックしましょう。

自分との約束

☐

暮らし

☐
☐
☐

健康

☐
☐
☐

もの

☐
☐
☐

イベント・旅

☐
☐
☐

お礼・贈り物

☐ ▶
☐ ▶

本

☐
☐
☐

映画・音楽・テレビ

☐
☐
☐

お店

☐
☐
☐

☐
☐
☐

☐ ▶
☐ ▶

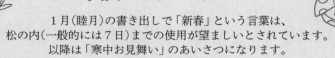

時候のあいさつ

1月（睦月）の書き出しで「新春」という言葉は、
松の内（一般的には7日）までの使用が望ましいとされています。
以降は「寒中お見舞い」のあいさつになります。

下旬 ← → 上旬

書き出し

新春を寿ぎ、謹んでお祝い申し上げます

皆様おそろいでよい年をお迎えのことと存じます

初春にふさわしい穏やかな日が続いております

松の内のにぎわいも過ぎ、日々の暮らしが戻ってまいりました

いよいよ寒さも本番となりました

例年にない厳しい寒さが続いております

結び

新たな年のご多幸をお祈りいたしております

今年もご一家にとって幸多き年になりますよう、お祈り申し上げます

今年も変わらぬお付き合いをお願いいたします

本年もよろしくご指導のほどお願い申し上げます

寒さ厳しき折、くれぐれもご自愛ください

春の到来を待ちながら、まずはごあいさつまで

1 第1週

1 土 元日

2 日

1 第2週

3 月

4 火

5 水

6 木

7 金

8 土

9 日

10 月　成人の日

11 火

12 水

13 木

14 金

15 土

16 日

17 月

18 火

19 水

20 木

21 金

22 土

23 日

January

24 月

25 火

26 水

27 木

28 金

29 土

30 日

31 月

1月にできたこと

月の終わりに、今月あったいいことを、忘れないよう書いておきましょう。
時間をおいて読んでみたら、心がほっこりします。

感動した 映画・本など

すてきな言葉

うっとりしたこと

感謝してること

おいしかったもの

笑ったこと

今月の私のここがエライ！

1月のおまけページ

2 如月

🖤 手縫い時間で心豊かに

　2月8日は針供養の日。

　かつて、女性にとって裁縫は暮らしに不可欠でとても重要な仕事だったため、この日だけは針仕事を休んで古い針の労をねぎらい、感謝しました。

　今は、針を手にする日の方が少ない暮らし。なので、改めて手縫いの良さを思い出し、裁縫道具を点検、整理する日にしてみるのはどうでしょう。

　そういう私はいつ裁縫箱に触れたかなぁ……と考えてみました。確か慌ただしい毎日に気持ちばかりが急いで考えがまとまらず、落ち込んでいた2か月ほど前、古くなった手ぬぐいに運針して雑巾を作った記憶が。たった

1枚だったけれど、仕上がった時には気持ちがすっきりしていたことも思い出しました。

　ところで、あの時の雑巾どうした？

　さっそく裁縫箱が入れてある抽斗を覗いてみると、あららそのまま入っていました。気持ちに余裕がなかった時の針の運びは粗目で不揃いですが、それはそれで味わいがあります。

○気持ちを落ち着かせたい時は、チクチク針を動かす

　針供養当日は裁縫道具の整理にあてることにして、2月のうちに前から興味があったけれど、取りかかれずにいた「花布巾」に挑戦してみようかな。

　そういう意欲が湧いてきたことが嬉しいし、また落ち込むことがあっても、針を持つ時間を持てば自然に心豊かな自分に戻れるような気がするのです。

月 *Monday*　　　火 *Tuesday*　　　水 *Wednesday*

Weekly to do		1 先勝	2 友引	
		7 先勝	8 友引	9 先負
		14 友引	15 先負	16 仏滅
			バレンタインデー	
		21 先負	22 仏滅	23 大安
				天皇誕生日
		28 仏滅		

木 *Thursday*	金 *Friday*	土 *Saturday*	日 *Sunday*
3 先負 節分	**4** 仏滅	**5** 大安	**6** 赤口
10 仏滅	**11** 大安 建国記念の日	**12** 赤口	**13** 先勝
17 大安	**18** 赤口	**19** 先勝	**20** 友引
24 赤口	**25** 先勝	**26** 友引	**27** 先負

2月にしたいこと

欲しいもの、したいこと、行きたいところ。
月の初めに記しておきましょう。
そして月の終わりに、
できたかどうかを □ にチェックしましょう。

自分との約束

□ _____

暮らし

□ _____

□ _____

□ _____

本

□ _____

□ _____

□ _____

健康

□ _____

□ _____

□ _____

映画・音楽・テレビ

□ _____

□ _____

□ _____

もの

□ _____

□ _____

□ _____

お店

□ _____

□ _____

□ _____

イベント・旅

□ _____

□ _____

□ _____

□ _____

□ _____

□ _____

お礼・贈り物

□ ▶ _____

□ ▶ _____

□ ▶ _____

□ ▶ _____

時候のあいさつ

2月（如月）は、季節的には冬とされる最後の月です。
しかし暦のうえでは立春（4日）を迎えるので、
次第に春を感じさせるあいさつが主流になっていきます。

下旬 ←　　　　　　　　　　　　　　　　　→ 上旬

書き出し

今年は例年にない大雪とのことですが、
いかがお過ごしでしょうか

子供たちの豆まきの声に、
一足早い春を感じる今日この頃です

立春とは名ばかりの、
厳しい寒さが続いております

寒さの中にも
春の足音が聞こえてくるようです

梅のつぼみがほころぶ季節となりました

木々に注ぐ日の光も
ようやく春めいてまいりました

結び

まだ寒さが続きますが、
くれぐれもご自愛ください

季節の変わり目ですので、
いっそうご自愛ください

余寒厳しき折、
どうぞお体にお気をつけください

三寒四温の時節柄、
健康には十分ご留意ください

春ももう間近です。
暖かくなったら
こちらへもお出かけください

春はもうすぐそこまで来ています。
楽しみに待ちましょう

51

2 第1週

1 火

2 水

3 木

4 金

5 土

6 日

2 第2週

7 月

8 火

9 水

10 木

11 金　建国記念の日

12 土

13 日

14 月

15 火

16 水

17 木

18 金

19 土

20 日

February

2 第 4 週

21 月

22 火

23 水　天皇誕生日

24 木

25 金

26 土

27 日

28 月

February

2月にできたこと

月の終わりに、今月あったいいことを、忘れないよう書いておきましょう。
時間をおいて読んでみたら、心がほっこりします。

感動した 映画・本など

すてきな言葉

うっとりしたこと

感謝してること

おいしかったもの

笑ったこと

今月の私のここがエライ！

3 弥生

▼「色別収納」とピンク・コーデ

　ひなまつりは「桃の節句」とも呼ばれます。

　女の子のお祝いなので桃色？　と思いきや、旧暦の３月は桃の開花時期、桃は古くから邪気を祓う仙木とされていたため、ひな人形だけでなく、桃の花にも我が子の安全と幸せを託したということのようです。

　３月に入るとスーパーマーケットのディスプレイにも桃の花が登場して華やかだし、通りかかったショップのウィンドウにもピンクのスカーフ、バッグ……あれ、もう半袖のピンクのニットもある！

　さて、ここでピンクという言葉が初登場、桃色はピンクの和名で、どちらも絵の具の赤と白を混ぜてできる色のことです。

実際のピンクは、赤と白の混色具合の濃淡だけではなくオレンジ系や紫系に属するものもあり、かなりバリエーション豊か。

　最近ふと思い立って、クローゼット内をざっくりですが「色別収納」に変えてみました。

　以前は、モノクロの服が圧倒的に多かったのですが、この数年は華やいだ明るい色も増えてきました。そのせいもあってか、服の色分けでの整理を楽しめました。
○服の「色別収納」には利便性とトキメキの両方がある

　さすがに半袖はまだ無理だけれど、色別に仕分けされたクローゼットの中から好みのピンクをいくつか選び出して、桃の節句の気分に合った軽やかなピンク・コーデを楽しんでみたいと思います。

月 *Monday*　　火 *Tuesday*　　水 *Wednesday*

M a r c h

Weekly to do		月 *Monday*	火 *Tuesday*	水 *Wednesday*	
			1 大安	**2** 赤口	
		7 赤口	**8** 先勝	**9** 友引	
		14 先勝	**15** 友引	**16** 先負	
		ホワイトデー			
		21 友引	**22** 先負	**23** 仏滅	
		春分の日			
		28 先負	**29** 仏滅	**30** 大安	

木 Thursday	金 Friday	土 Saturday	日 Sunday
3 友引	**4** 先負	**5** 仏滅	**6** 大安
ひなまつり			
10 先負	**11** 仏滅	**12** 大安	**13** 赤口
17 仏滅	**18** 大安	**19** 赤口	**20** 先勝
24 大安	**25** 赤口	**26** 先勝	**27** 友引
31 赤口			

2022

3月にしたいこと

欲しいもの、したいこと、行きたいところ。
月の初めに記しておきましょう。
そして月の終わりに、
できたかどうかを □ にチェックしましょう。

自分との約束
□

暮らし

□

□

□

本

□

□

□

健康

□

□

□

映画・音楽・テレビ

□

□

□

もの

□

□

□

お店

□

□

□

イベント・旅

□

□

□

□

□

□

お礼・贈り物

□　　　　▶

□　　　　▶

□　　　　▶

□　　　　▶

時候のあいさつ

3月（弥生）は春の訪れの時。ひなまつりを始め行事も多く、あいさつも華やいだものにできます。便箋やカード、切手なども春らしい色や図柄を選びたいものです。

下旬 ← → 上旬

	書き出し	結び
	ひなまつりが近づき、心が華やぐ季節になりました	まだ肌寒い日がございます。どうかお体を大切になさってください
	桃の節句も過ぎ、いよいよ春めいてきました	春の訪れとともに、皆様の上にも幸せが訪れますようお祈りしております
	春らしいうららかな日和が続いております	春陽のもと、どうか健やかにお過ごしください
	野山は若草色に染まり、命の息吹が感じられます	新天地でのさらなる飛躍を、心よりお祈り申し上げます
	ひと雨ごとに暖かさが増す今日この頃です	何かと慌ただしい時期ですが、お元気でお過ごしください
	桜前線北上のニュースに、今からお花見が待たれます	新年度を迎えましても、変わらずよろしくお願いいたします

71

3 第1週

1 火

2 水

3 木

4 金

5 土

6 日

3 第2週

7 月

8 火

9 水

10 木

11 金

12 土

13 日

14 月

15 火

16 水

March

17 木

18 金

19 土

20 日

21 月 春分の日

22 火

23 水

24 木

25 金

26 土

27 日

28 月

29 火

30 水

31 木

3 月にできたこと

月の終わりに、今月あったいいことを、忘れないよう書いておきましょう。
時間をおいて読んでみたら、心がほっこりします。

感動した映画・本など

すてきな言葉

うっとりしたこと

感謝してること

おいしかったもの

笑ったこと

今月の私のここがエライ！

3月のおまけページ

4 卯月

清明　19日　虹始めて見る

★いくつになっても「はじめの一歩」

　1800（寛政12）年の4月19日、伊能忠敬は55歳にして測量の旅の一歩を踏み出しました。それからの17年間、71歳になるまで日本全国を旅して『大日本沿海輿地全図』が完成。それにあやかり、この日は『地図の日』とも呼ばれているのです。

　さて、二十四節気の「清明」は「清浄明潔」を省略した言葉で、すべてのものが清らかで生き生きとする頃のこと。加えて七十二候の方も、この時期に初めて虹を見たら幸運が訪れる……と、これだけ「はじめの一歩」にふさわしい好条件が揃ったら、この機に何か始めないわけにはいきませんよね。

○きっかけ上手になって、新しいことに挑戦してみよう
○続けるコツは「いいこと日記」に経過を記すこと

　そういうわけで、私もほんの小さな「はじめの一歩」
を踏み出してみることにしました。
　それは「週いち誰かにハガキを書く」です。あまりに
LINEやメールに頼りすぎている自分に気づいてはいま
したが「楽なんだもん」の前に惨敗のこの頃でした。
　だいぶ前に小さな文房具屋さんが閉店するとのことで、
まとめて買っておいた無地のハガキを見つけ、「そのう
ち使おうっと」と呟いたところでストップしていました。
　ここで宣言したことで、ようやく「はじめの一歩」の
前の場所まで来た感じです。
　記念すべき「はじめの一枚」は誰に出そうかな……そ
う考えたらワクワクしてきました。

月 *Monday*　　　火 *Tuesday*　　　水 *Wednesday*

Weekly to do			
	4 赤口	**5** 先勝	**6** 友引
	11 先勝	**12** 友引	**13** 先負
	18 友引	**19** 先負	**20** 仏滅
	25 先負	**26** 仏滅	**27** 大安

木 Thursday	金 Friday	土 Saturday	日 Sunday
	1 先負	**2** 仏滅	**3** 大安
	エイプリル・フール		
7 先負	**8** 仏滅	**9** 大安	**10** 赤口
14 仏滅	**15** 大安	**16** 赤口	**17** 先勝
21 大安	**22** 赤口	**23** 先勝	**24** 友引
28 赤口	**29** 先勝	**30** 友引	
	昭和の日		

2022

4月にしたいこと

欲しいもの、したいこと、行きたいところ。
月の初めに記しておきましょう。
そして月の終わりに、
できたかどうかを □ にチェックしましょう。

☐ 暮らし

☐

☐

☐ 本

☐

☐

☐ 健康

☐

☐

☐ 映画・音楽・テレビ

☐

☐

☐ もの

☐

☐

☐ お店

☐

☐

☐ イベント・旅

☐

☐

☐

☐

☐ お礼・贈り物

☐　　　▶

☐　　　▶

☐　　　▶

☐　　　▶

April

時候のあいさつ

4月（卯月）は、旧暦で「卯の花」が
咲く時期であることに由来しています。春の明るさと
新年度のフレッシュさが表現できるといいですね。

下旬 ← ──────────────── → 上旬

書き出し

花の便りが
各地から聞かれる頃となりました

真新しいランドセルの一年生の姿が
微笑ましく目に映る、今日この頃です

桜の花びらが風に舞い、
春たけなわといった感じです

桜色のトンネルが、
すっかり葉桜の緑色に変わりました

うららかな春日和が続いていますが、
お元気でお過ごしでしょうか

大型連休も近づいてまいりましたが、
いかがお過ごしでしょうか

結び

春爛漫の心地よい季節を、
健やかにお過ごしください

新年度を迎えお忙しいことでしょうが、
どうかお体を第一になさってください

春の陽気の中、
近いうちにお目にかかれたら嬉しいです

気持ちのいいこの季節、
健やかな日々をお過ごしください

新天地での、
益々のご活躍をお祈りしております

こちらにお越しの際には、
ぜひお立ち寄りください

2022

April

1 金

2 土

3 日

4 月

5 火

6 水

7 木

April

8 金

9 土

10 日

11 月

12 火

13 水

14 木

April

15 金

16 土

17 日

18 月

19 火

20 水

21 木

April

22 金

23 土

24 日

25 月

26 火

27 水

28 木

April

29 金　昭和の日

30 土

4月にできたこと

月の終わりに、今月あったいいことを、忘れないよう書いておきましょう。
時間をおいて読んでみたら、心がほっこりします。

感動した 映画・本など	すてきな言葉

うっとりしたこと	感謝してること

おいしかったもの	笑ったこと

今月の私のここがエライ！

4月のおまけページ

April

5 皐月

♥「菖蒲湯」でリラックス

　5月5日は「端午の節句」、日本では奈良時代から続く風習ですが、もとは老若男女問わず災いを除けて長寿を願う日でした。

　それが男の子の節句として定まったのは江戸時代。そして本来は病気除けの薬湯にとして使われた「菖蒲」も、「勝負」や「尚武」に通じるとして、この時代に広まったようです。

　菖蒲といえば鮮やかな紫色の花をイメージするけれど、お風呂に入れる菖蒲とは別物とのこと。

　紫の方はアヤメ科の花菖蒲で、「菖蒲湯」に使う方はサトイモ科で黄緑の花だそう。植物に詳しくないので、

今回「菖蒲湯」のことを調べて初めて知りました。

　いずれにせよ、最近はこの時期になると花屋さんやスーパーマーケットでちゃんと菖蒲の葉を束ねて売っているので、間違う心配はなさそうですね。

　そんな「菖蒲湯」の薬効を引き出すコツは

○まず浴槽に葉を入れる

○やや熱め（43〜44度）のお湯を張る

○適温になるまで待つ

○湯船に浸かったら葉を軽く揉む

　うーん、こう書いているだけでいい香りが漂ってくる感じ、心身ともにリラックスできそうです。

　市販のおしゃれな入浴剤も好きだけれど、時にはこんなふうに昔ならではの風習を楽しんでみましょうか。

5

月 *Monday*　　　　火 *Tuesday*　　　　水 *Wednesday*

Weekly to do			
_ _ _ _ _ _ _ _ _			
_ _ _ _ _ _ _ _ _			
_ _ _ _ _ _ _ _ _			
_ _ _ _ _ _ _ _ _			

_ _ _ _ _ _ _ _ _	**2** 大安	**3** 赤口	**4** 先勝
_ _ _ _ _ _ _ _ _			
_ _ _ _ _ _ _ _ _			
_ _ _ _ _ _ _ _ _			
_ _ _ _ _ _ _ _ _		憲法記念日	みどりの日

_ _ _ _ _ _ _ _ _	**9** 赤口	**10** 先勝	**11** 友引
_ _ _ _ _ _ _ _ _			
_ _ _ _ _ _ _ _ _			
_ _ _ _ _ _ _ _ _			

_ _ _ _ _ _ _ _ _	**16** 先勝	**17** 友引	**18** 先負
_ _ _ _ _ _ _ _ _			
_ _ _ _ _ _ _ _ _			
_ _ _ _ _ _ _ _ _			

| _ _ _ _ _ _ _ _ _ | **23**
友引 | **24**
先負 | **25**
仏滅 |
| _ _ _ _ _ _ _ _ _ | **30**
大安 | **31**
赤口 | |

木 *Thursday*	金 *Friday*	土 *Saturday*	日 *Sunday*
			1 仏滅
5 友引 こどもの日	**6** 先負	**7** 仏滅	**8** 大安 母の日
12 先負	**13** 仏滅	**14** 大安	**15** 赤口
19 仏滅	**20** 大安	**21** 赤口	**22** 先勝
26 大安	**27** 赤口	**28** 先勝	**29** 友引

2 0 2 2

5月にしたいこと

欲しいもの、したいこと、行きたいところ。
月の初めに記しておきましょう。
そして月の終わりに、
できたかどうかを □ にチェックしましょう。

自分との約束

自分との約束

暮らし

本

健康

映画・音楽・テレビ

もの

お店

イベント・旅

お礼・贈り物

▶

▶

▶

▶

May

時候のあいさつ

5月(皐月)は、ゴールデンウィークの楽しいイベントに始まり
新緑や花々と、時候のあいさつに使える表現には事欠きません。
さわやかで明るい描写を心がけましょう。

	書き出し	結び
上旬 →	八十八夜も過ぎ、新茶のおいしい季節になりました	季節の変わり目です。どうかご自愛ください
	鯉のぼりが、元気に五月の空を泳いでいます	五月晴れの空のように、健やかにお過ごしください
	若葉の明るい緑が、目に鮮やかな今日この頃です	すがすがしいこの季節、ぜひこちらにもお出かけください
	花屋の店頭に、色とりどりのカーネーションが並ぶ頃となりました	過ごしやすい季節とはいえ、どうかご無理なさいませんように
	青田を渡るさわやかな風が、肌に心地よい季節になりました	身も心もリフレッシュして、お元気にお過ごしください
← 下旬	木々の緑が、初夏を思わせる日ざしに輝く季節となりました	夏はもうすぐそこです。さらなる飛躍をお祈りしております

2022

1 日

May

5 第2週

2 月

3 火 憲法記念日

4 水 みどりの日

5 木 こどもの日

6 金

7 土

8 日

May

9 月

10 火

11 水

12 木

13 金

14 土

15 日

16 月

17 火

18 水

19 木

20 金

21 土

May

22 日

23 月

24 火

25 水

26 木

27 金

May

28 土

29 日

30 月

31 火

5月にできたこと

月の終わりに、今月あったいいことを、忘れないよう書いておきましょう。
時間をおいて読んでみたら、心がほっこりします。

感動した 映画・本など

すてきな言葉

うっとりしたこと

感謝してること

おいしかったもの

笑ったこと

今月の私のここがエライ！

5月のおまけページ

6 水無月

芒種　16日　梅子黄なり

🥣 やっぱり旬の「梅仕事」を

　梅農家を営む知人から、今年も見事な青梅がたくさん届きました。眺めているだけで幸せな気持になりますが、氷砂糖まで同封してくれた好意を裏切らないよう、その日のうちに「梅仕事」をすることにしました。

　ところが、大量の梅ゆえ「あっ、容器が足りない！ホワイトリカーも買い足さないと！」とアタフタ。

　近くのホームセンターに行き、保存ビンの売り場へ直行したところ、何と容器の棚はガラガラで、奥の方に残っていたラスト3つをようやくゲットしました。

　私は何とかセーフだったけれど、次に来た人は「えーっ、ひとつもない」になっちゃうなと思いつつ、今が旬

の「梅仕事」をする人が増えていることを実感。

　家に戻るや、水に浸けておいた梅をザルに広げてひとつひとつ丁寧に拭き、ヘタを取ります。竹串がなく爪楊枝で取ろうとしたら、ヘタが立派すぎて折れちゃう……。

　そこで抽斗の奥をゴソゴソやっていたら「あっ、牛乳瓶のフタをパッカンと取るの見つけた！」これが大活躍で、今後は「梅仕事」に欠かせない道具になりそうです。

　梅酒と梅シロップの両方を作りました。どちらも
○容器に１対１を目安に梅と氷砂糖を交互に入れるまでは一緒で、そのままなら梅シロップに、ホワイトリカーを注げば梅酒になります。
○きっちりフタをして冷暗所で保管する
のも一緒ですが、梅シロップは日に何度かかき混ぜて１週間から10日で出来上がり。梅酒は３か月くらいから飲み頃になります。う〜ん楽しみ！

6

月 *Monday*　　　火 *Tuesday*　　　水 *Wednesday*

Weekly to do			**1** 先勝
	6 赤口	**7** 先勝	**8** 友引
	13 先勝	**14** 友引	**15** 先負
	20 友引	**21** 先負　　　　夏至	**22** 仏滅
	27 先負	**28** 仏滅	**29** 赤口

木 *Thursday*	金 *Friday*	土 *Saturday*	日 *Sunday*
2 友引	**3** 先負	**4** 仏滅	**5** 大安
9 先負	**10** 仏滅	**11** 大安	**12** 赤口
16 仏滅	**17** 大安	**18** 赤口	**19** 先勝 父の日
23 大安	**24** 赤口	**25** 先勝	**26** 友引
30 先勝			

6月にしたいこと

欲しいもの、したいこと、行きたいところ。
月の初めに記しておきましょう。
そして月の終わりに、
できたかどうかを □ にチェックしましょう。

□

暮らし
□
□
□

本
□
□
□

健康
□
□
□

映画・音楽・テレビ
□
□
□

もの
□
□
□

お店
□
□
□

イベント・旅
□
□
□

□
□
□

お礼・贈り物
□　　　　　▶
□　　　　　▶

□　　　　　▶
□　　　　　▶

時候のあいさつ

6月（水無月）は季節としては「夏」にあたります。
しかし、時候のあいさつとしては「梅雨」のイメージが強いので
「梅雨の季節を迎え」などといった書き出しが定番です。

下旬 ← ——————————————— → 上旬

書き出し

衣替えとなり、
学生たちの夏服姿がさわやかに映ります

そろそろ梅雨入りも近いようです

梅雨の季節を迎え、
ぐずついたお天気が続いております

雨に濡れた紫陽花がひときわ鮮やかです

山々の緑も、
雨に打たれて色濃くなりました

吹く風も次第に夏めいてまいりました

結び

天候不順の折、
どうぞお体ご自愛ください

じめじめうっとうしい毎日が始まりますが、
お元気でお過ごしください

長雨の季節でもありますので、
体調を崩さないようお気をつけください

梅雨明けまでもう少し。
どうぞお体大切になさってください

梅雨明けも間近です。
どうかお元気でお過ごしください

向暑の折、
いっそうご自愛くださいませ

2022

1 水

2 木

3 金

4 土

5 日

🌙 水無月は、暑さで水が枯れる様子を指します　135

6 月

7 火

8 水

9 木

10 金

11 土

12 日

June

6 第3週

13 月

14 火

15 水

16 木

17 金

18 土

19 日

June

20 月

21 火

22 水

23 木

24 金

25 土

26 日

6 第5週

27 月

28 火

29 水

30 木

6月にできたこと

月の終わりに、今月あったいいことを、忘れないよう書いておきましょう。
時間をおいて読んでみたら、心がほっこりします。

感動した 映画・本など

すてきな言葉

うっとりしたこと

感謝してること

おいしかったもの

笑ったこと

今月の私のここがエライ！

June

7 文月

小暑　10日　温風至る

★「四万六千日」のご利益ゲット

　以前、江戸を舞台にしたテレビドラマを観ていたら「四万六千日に浅草寺に行かないって手はねえや」というようなセリフが出てきました。どんなストーリーだったかは忘れてしまったけれど、この「四万六千日て何？」と思ったことだけは強く印象に残りました。

　今回、この扉エッセイのために和暦や各月の日本の行事について調べていたら、7月に、浅草寺境内で開かれるほおずき市の2日間が「四万六千日」にあたると書いてありました。

　「そうかその参拝がメインで、ほおずき市も立つようになったわけね」とようやく知った次第。

私は40歳でかつての江戸に越してきた「新参者」なので、けっこうこの手の由来を知らないのです。

　7月10日は功徳日といって、この日に観音様にお参りすれば、四万六千日間参拝したのと同じだけのご利益が得られるとされているそう。

　年数に換算すると、何と126年！　十分すぎ！

　で、江戸や近隣の多くの庶民が「行かない手はねえや」となって、前の日から押し寄せるようになり、9日もおまけで「四万六千日」になったらしいです。

○縁起物のほおずきの鮮やかな朱色を持ち帰り玄関先に飾れば、ご利益ゲットがより確実に

　インテリア的にも、ほおずきの和の雰囲気は意外にモダンな玄関やマンションのベランダにも合うような気がします。

7

月 *Monday*　　　火 *Tuesday*　　　水 *Wednesday*

Weekly to do			

------	**4** 大安	**5** 赤口	**6** 先勝
------	**11** 赤口	**12** 先勝	**13** 友引
------	**18** 先勝 海の日	**19** 友引	**20** 先負
------	**25** 友引	**26** 先負	**27** 仏滅

木 *Thursday*	金 *Friday*	土 *Saturday*	日 *Sunday*
	1 友引	**2** 先負	**3** 仏滅
7 友引	**8** 先負 七夕	**9** 仏滅	**10** 大安
14 先負	**15** 仏滅	**16** 大安	**17** 赤口
21 仏滅	**22** 大安	**23** 赤口	**24** 先勝
28 大安	**29** 先勝	**30** 友引	**31** 先負

7月にしたいこと

欲しいもの、したいこと、行きたいところ。
月の初めに記しておきましょう。
そして月の終わりに、
できたかどうかを □ にチェックしましょう。

自分との約束

暮らし

本

健康

映画・音楽・テレビ

もの

お店

イベント・旅

お礼・贈り物

▶

▶

▶

▶

時候のあいさつ

7月（文月）は梅雨が明け、夏本番へと向かいます。
海開きや七夕など夏の季節感を盛り込んでみてください。
なお暑中見舞いは7月7日の小暑の頃から
8月7日の立秋の頃までの間に出すご機嫌伺いです。

下旬 ←　　　　　　　　　　　　　　　　　→ 上旬

書き出し

海開きや山開きのニュースに、
夏の訪れを感じるこの頃です

長かった梅雨も明け、
いよいよ本格的な夏の到来となりました

今年も朝顔市の時期がやってまいりました

七夕の短冊に願い事をしたのを、
懐かしく思い出す今日この頃です

例年にない暑さが続いておりますが、
いかがお過ごしでしょうか

土用の入りとなり、
日ごとに暑さが増してまいりました

結び

ご家族の皆様お元気で、
楽しい夏を満喫されますよう

これからが暑さの本番です。
お体にはくれぐれもお気をつけください

夏風邪などひかぬよう、
お体をおいといください

今年の夏も、たくさんの
いい思い出を作ってくださいませ

暑さ厳しき折、一層ご自愛ください

夏バテなどなさらぬよう、
暑さをおしのぎください

153

1 金

2 土

3 日

4 月

5 火

6 水

7 木

8 金

9 土

10 日

11 月

12 火

13 水

14 木

15 金

16 土

17 日

July

18 月 海の日

19 火

20 水

21 木

22 金

23 土

24 日

July

25 月

26 火

27 水

28 木

29 金

30 土

31 日

7月にできたこと

月の終わりに、今月あったいいことを、忘れないよう書いておきましょう。
時間をおいて読んでみたら、心がほっこりします。

感動した映画・本など

すてきな言葉

うっとりしたこと

感謝してること

おいしかったもの

笑ったこと

今月の私のここがエライ！

7月のおまけページ

8 葉月

立秋　7日　涼風至る

🍵 置き風鈴に涼風を感じて

　二十四節気では「立秋」ですが、まだまだ暑さが続く日々、せめて「暑気払い」をしてみることにしましょう。「暑気払い」には、実際に涼しくなるものと、涼しさを感じるものの2種類があります。

　例をあげると

〇団扇であおぐと風が来て涼しい「リアル暑気払い」

〇風鈴は音色に涼しい風を感じる「イメージ暑気払い」

というようなことでしょうか。

「イメージ暑気払い」グッズの代表の風鈴の起源は中国で、竹林に下げて吉凶を占うものだったそうです。

そういえば、ちょっと前まで中国時代ドラマにはまっていたのですが、ヒロインがいくつもの風鈴を木にかけているシーンがありました。お約束通り台から落ちそうになったヒロインを抱きかかえるイケメン……なーんて話がそれちゃいましたね。

　日本には、魔除けの道具として仏教とともに伝わったとか。今では、鉄製の南部風鈴や陶器の瀬戸風鈴、ガラスの江戸風鈴など各地で様々な風鈴が作られています。

　自分好みの風鈴を窓に飾って、その音色に涼を感じたいところですが、最近はマンションなど集合住宅では「騒音」問題になりかねない難しさもあります。

　誰かには好ましい音が、誰かには気になる音かも。

　そんな場合におススメなのが、置き風鈴。7ページのイラストは、江戸風鈴と竹の台の組み合わせ、こちらのページのイラストは南部風鈴と竹細工の組み合わせです。

月 *Monday*　　　火 *Tuesday*　　　水 *Wednesday*

Weekly to do	1 仏滅	2 大安	3 赤口	
	8 大安	9 赤口	10 先勝	
	15 赤口	16 先勝	17 友引	
	22 先勝	23 友引	24 先負	
	29 仏滅	30 大安	31 赤口	

4 先勝	**5** 友引	**6** 先負	**7** 仏滅
11 友引 山の日	**12** 先負	**13** 仏滅	**14** 大安
18 先負	**19** 仏滅	**20** 大安	**21** 赤口
25 仏滅	**26** 大安	**27** 友引	**28** 先負

2022

8月にしたいこと

欲しいもの、したいこと、行きたいところ。
月の初めに記しておきましょう。
そして月の終わりに、
できたかどうかを□にチェックしましょう。

自分との約束
□

暮らし
□
□
□

本
□
□
□

健康
□
□
□

映画・音楽・テレビ
□
□
□

もの
□
□
□

お店
□
□
□

イベント・旅
□
□
□

□
□
□

お礼・贈り物
□ ▶
□ ▶

□ ▶
□ ▶

時候のあいさつ

8月（葉月）は暦の上では7日頃に立秋を迎えますが、
実際には夏の真最中なので、暑さを表現する形になります。
お盆にまつわる行事や涼しさへの期待なども使われます。

下旬 ←　　　　　　　　　　　　　　　　　　　　→ 上旬

書き出し

炎天下にヒマワリの花が、たくましく咲いています

入道雲が盛夏の勢いそのままに、空に盛り上がっています

暦の上では立秋を迎えましたが、クーラーが大活躍する日が続いています

帰省の折、久々に浴衣を着て盆踊りの輪に加わりました

お盆を過ぎ、朝夕は幾分しのぎやすくなってまいりました

空の青さに、秋の気配がうっすらと感じられる今日この頃です

結び

夏の盛りですが、お元気でこの夏を乗り切られますように

猛暑も今が峠です。どうぞご自愛くださいませ

熱帯夜が続いています。夏負けに留意され健やかにお過ごしください

残り少ない夏休み、ご家族の皆様で存分にお楽しみください

夏のお疲れが出ませんように

皆様ご壮健にて、さわやかな秋をお迎えください

1 月

2 火

3 水

4 木

5 金

6 土

7 日

August

8 月

9 火

10 水

11 木　山の日

12 金

13 土

14 日

August

15 月

16 火

17 水

18 木

19 金

20 土

21 日

22 月

23 火

24 水

25 木

26 金

27 土

28 日

August

29 月

30 火

31 水

8月にできたこと

月の終わりに、今月あったいいことを、忘れないよう書いておきましょう。
時間をおいて読んでみたら、心がほっこりします。

感動した 映画・本など

すてきな言葉

うっとりしたこと

感謝してること

おいしかったもの

笑ったこと

今月の私のここがエライ！

8月のおまけページ

9 長月

♥目と心に効く「菊花茶」を

　9月9日は、おめでたい五節句のひとつ「重陽の節句」です。中国では最も大きな奇数（陽数）の9が重なるこの日を重陽と呼びました。長寿の霊草と信じられていた菊の花を浮かべたお酒を酌み交わし、無病息災を願ったといわれています。

　この風習が日本に伝わったのは、奈良時代。当時は宮中行事でしたが、江戸時代には五節句は幕府によって祝日となったので、庶民にも広まり「菊酒」だけでなく栗ご飯を炊いたり、菊の品評会が開かれたりして「菊の節句」と親しまれました。

　ちなみに、江戸幕府が行事として定めた五節句は

9と9

○人日の節句（１月７日）○上巳の節句（３月３日）
○端午の節句（５月５日）○七夕の節句（７月７日）
○重陽の節句（９月９日）

　七夕も入っているのはちょっと意外でしたけれど、基
本的に奇数の並びはメデタイようですね。
　そんな由来を知ると、菊にまつわる何かをいただきた
くなります。もちろん「菊酒」も風流だけれど、お茶の
類でないかしら……と調べていたら、ありましたね「菊
花茶」、すぐに購入。もとは漢方のお茶で目の疲れに効
くらしいのですが、乾燥した菊の花がお湯の中でフワー
っと開いていく様子に飲む前から目も心も癒される―。
　味は、ほんのりとした苦味と甘みがミックスされた感
じ。ジャスミン茶が好きな私は「すっきりおいしい」と
感じました。この原稿が済んだら、「菊花茶」ブレイク
しようかな。

月 *Monday*　　火 *Tuesday*　　水 *Wednesday*

Weekly to do			
	5 大安	**6** 赤口	**7** 先勝
	12 赤口	**13** 先勝	**14** 友引
	19 先勝 敬老の日	**20** 友引	**21** 先負
	26 先負	**27** 仏滅	**28** 大安

木 Thursday	金 Friday	土 Saturday	日 Sunday
1 先勝	**2** 友引	**3** 先負	**4** 仏滅
8 友引	**9** 先負	**10** 仏滅	**11** 大安
15 先負	**16** 仏滅	**17** 大安	**18** 赤口
22 仏滅	**23** 大安	**24** 赤口	**25** 先勝
29 赤口	**30** 先勝		

秋分の日

2022

9月にしたいこと

欲しいもの、したいこと、行きたいところ。
月の初めに記しておきましょう。
そして月の終わりに、
できたかどうかを □ にチェックしましょう。

自分との約束
□

暮らし

- □
- □
- □

本

- □
- □
- □

健康

- □
- □
- □

映画・音楽・テレビ

- □
- □
- □

もの

- □
- □
- □

お店

- □
- □
- □

イベント・旅

- □
- □
- □

- □
- □
- □

お礼・贈り物

- □　　▶
- □　　▶

- □　　▶
- □　　▶

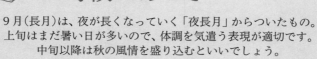

時候のあいさつ

9月（長月）は、夜が長くなっていく「夜長月」からついたもの。
上旬はまだ暑い日が多いので、体調を気遣う表現が適切です。
中旬以降は秋の風情を盛り込むといいでしょう。

下旬 ← ──────────────────────────→ 上旬

	書き出し	結び
九月になりましても、なお厳しい残暑が続いております		夏バテは秋に出ると申します。お体には十分ご留意ください
朝夕は、いくぶん過ごしやすくなりました		季節の変わり目、くれぐれもご無理なさいませんように
初秋の風にコスモスが揺れる季節になりました		さわやかな秋を満喫されますよう、お祈り申し上げます
鰯雲が浮かび、日に日に秋の色が濃くなってまいりました		秋の気配を感じつつ、お会いできる日を楽しみにしております
夕焼け空に赤とんぼが群れ飛ぶこの頃、すっかり秋ですね		秋風が心地よい季節、いっそうご活躍ください
実りの季節を迎え、食欲の秋もいよいよ本番です		皆様の秋が実り多きものとなりますよう、お祈り申し上げます

193

9 第 1 週

1 木

2 金

3 土

4 日

5 月

6 火

7 水

8 木

9 金

10 土

11 日

12 月

13 火

14 水

September

15 木

16 金

17 土

18 日

19 月 敬老の日

20 火

21 水

22 木

23 金 秋分の日

24 土

25 日

26 月

27 火

28 水

29 木

30 金

9月にできたこと

月の終わりに、今月あったいいことを、忘れないよう書いておきましょう。
時間をおいて読んでみたら、心がほっこりします。

感動した 映画・本など

すてきな言葉

うっとりしたこと

感謝してること

おいしかったもの

笑ったこと

今月の私のここがエライ！

204

9月のおまけページ

September

10 神無月

霜降　27日　霜始めて降る

★「自分に刺さった言葉」を書いておく！

　ほぼ通年「読書週間」の私ですが、やはり本当の「読書週間」は格別です。本で調べたら10月27日は「文字・活字文化の日」で、11月９日までの２週間が「読書週間」にあたります。

　確かに、秋は最も落ち着いて本が読める季節。そろそろ「今年は何ができただろうか」などと心の中で振り返り始める頃でもあるので、そんな時に（活字になった）先人たちの言葉が、いつも以上に深く刺さるような気がします。

　せっかくなので、今月のおまけページに「自分に刺さった言葉」をメモしておくのも悪くありません。

これまで私が鼓舞された（活字になった）言葉の中から、5つほど選んでご紹介しておきます。
○欲求と必要が「師匠」を運んできてくれる
○幸福を伴わない成功は、私たちが手に入れようとしている人生ではない
○長いよい付き合いこそ大人の財産だ
○空しい、つまらないと感じた時はチャンス到来
○よく本を読み、仕事に打ち込み、そしてぐっすり眠る

　出典はあえて明記しないので、似た言葉やそのままズバリの言葉に出会えたなら、ラッキー＆ご利益ゲットということになるでしょう。
　実は私自身、誰のどの本だったか分からなくなっている言葉もあるので、今年の「読書週間」は、本棚の整理を兼ねた「読み直し週間」にしてみるつもりです。

10

月 *Monday*　　　　火 *Tuesday*　　　　水 *Wednesday*

Weekly to do			
- -			
- -	**3** 仏滅	**4** 大安	**5** 赤口
- -	**10** 大安 スポーツの日	**11** 赤口	**12** 先勝
- -	**17** 赤口	**18** 先勝	**19** 友引
- -	**24** 先勝 **31** ハロウィン　仏滅	**25** 仏滅	**26** 大安

木 *Thursday*	金 *Friday*	土 *Saturday*	日 *Sunday*
		1 友引	**2** 先負
6 先勝	**7** 友引	**8** 先負	**9** 仏滅
13 友引	**14** 先負	**15** 仏滅	**16** 大安
20 先負	**21** 仏滅	**22** 大安	**23** 赤口
27 赤口	**28** 先勝	**29** 友引	**30** 先負

10月にしたいこと

欲しいもの、したいこと、行きたいところ。
月の初めに記しておきましょう。
そして月の終わりに、
できたかどうかを □ にチェックしましょう。

自分との約束
□

暮らし
□

□

□

健康
□

□

□

もの
□

□

□

イベント・旅
□

□

□

お礼・贈り物
□　▶

□　▶

本
□

□

□

映画・音楽・テレビ
□

□

□

お店
□

□

□

□

□

□

□　▶

□　▶

時候のあいさつ

10月（神無月）は、出雲（島根県）に神様が集まり諸国には
いなくなることからつけられたとされています。この時期はお天気が良く
運動会や紅葉狩りなど、楽しいイベントも多いので反映させてみてください。

下旬 ← ──────────────────────→ 上旬

秋風が冷たく、身にしみるようになってまいりました	日増しに秋が深まり、街路樹の葉も散り始めました	美しく色づき始めた紅葉に、秋の深まりを感じる今日この頃です	絶好の行楽日和が続いていますが、どちらかへお出かけになりましたか	秋晴れの日が続き、何をするにも心地よい季節です	澄み切った空の下、運動会のにぎやかな歓声が聞こえてきます	**書き出し**
季節の変わり目です。どうかお体を大切に	これから朝夕は冷えてまいりますので、お体にお気をつけください	野山もすっかり秋の装いです。この素敵な季節を満喫してくださいませ	晴れ渡った秋空のように、気持ちのよい日々をお過ごしください	行楽にスポーツにと秋を存分に楽しまれますように	さわやかな秋の日々を、どうぞお健やかにお過ごしください	**結び**

2022

213

1 土

2 日

October

3 月

4 火

5 水

6 木

7 金

8 土

9 日

October

10 第3週

10 月　スポーツの日

11 火

12 水

13 木

14 金

15 土

16 日

17 月

18 火

19 水

20 木

21 金

22 土

23 日

10 第5週

24 月

25 火

26 水

27 木

28 金

29 土

30 日

October

31 月

October

10月にできたこと

月の終わりに、今月あったいいことを、忘れないよう書いておきましょう。
時間をおいて読んでみたら、心がほっこりします。

感動した映画・本など

すてきな言葉

うっとりしたこと

感謝してること

おいしかったもの

笑ったこと

今月の私のここがエライ！

10月のおまけページ

11 霜月

うれしい「鍋はじめ」の日

　7日が「鍋はじめの日」と、去年始めて知りました。
いつも新鮮な野菜を分けてくれる友人が「鍋はじめの日
だから、白菜あげるね」と。その言葉の白菜より鍋の方
に強く反応してしまった私です。

　日々の献立に頭を悩ませている身としては、鍋の季節
の到来は何よりうれしいです。特に日も短く、急に冷え
込みを感じるこの時期に、手早く準備できて温まってコ
ミュニケーションも取りやすい鍋料理の出番は、週に何
度でもいい！　というくらい。

　最近は、定番のしゃぶしゃぶやすき焼き、寄せ鍋など
の他、豆乳・トマト・チーズ・キムチなどバラエティー

に富んだラインナップが揃っていますから、全然飽きません。

　なおかつ、〆の雑炊・餅・うどん・ラーメンなどが嬉しいですよね。

　今回は簡単ヘルシーな鶏と白菜のさっぱり鍋をご紹介。

○材料／２人分　鶏もも肉…250ｇ　白菜…250ｇ
水菜…100ｇ　しめじやえのき…お好みの量
ⓐ水…３カップ　白だし・鶏ガラスープの素…各大匙２
○鍋に一口サイズに切った鶏もも肉とⓐを入れ、沸騰したらアクを取り、白菜を入れのこりの食材を入れる

　さっぱりついでに、ポン酢でいただいてもおいしいです。〆は、白だしを少々追加し、溶き卵を入れてお雑炊で決まり！

11

月 *Monday*　　　火 *Tuesday*　　　水 *Wednesday*

Weekly to do		**1** 大安	**2** 赤口	
	7 大安	**8** 赤口	**9** 先勝	
	14 赤口	**15** 先勝	**16** 友引	
	21 先勝	**22** 友引	**23** 先負 勤労感謝の日	
	28 先負	**29** 仏滅	**30** 大安	

木 *Thursday*	金 *Friday*	土 *Saturday*	日 *Sunday*
3 先勝 文化の日	**4** 友引	**5** 先負	**6** 仏滅
10 友引	**11** 先負	**12** 仏滅	**13** 大安
17 先負	**18** 仏滅	**19** 大安	**20** 赤口
24 大安	**25** 赤口	**26** 先勝	**27** 友引

2022

11月にしたいこと

欲しいもの、したいこと、行きたいところ。
月の初めに記しておきましょう。
そして月の終わりに、
できたかどうかを □ にチェックしましょう。

暮らし

□
□
□

本

□
□
□

健康

□
□
□

映画・音楽・テレビ

□
□
□

もの

□
□
□

お店

□
□
□

イベント・旅

□
□
□

□
□
□

お礼・贈り物

□ ▶
□ ▶

□ ▶
□ ▶

November

時候のあいさつ

11月（霜月）は、暦の上では上旬は晩秋ですが中旬からは初冬に入ります。
七五三や酉の市のにぎやかさや落葉、
冬に向かう気分などを表現してみてください。

下旬 ← → 上旬

書き出し

陽だまりが
恋しい季節に
なってまいりました

北国からは雪の便りが届く今日この頃です

街路のいちょうも色づき、
黄金色に輝いております

菊の香りが漂う季節になりましたが、
いかがお過ごしでしょうか

近くの神社では、七五三の晴れ姿で
はしゃぐ子供たちが見られます

秋も深まり、
だいぶ日が短くなってまいりました

結び

年の瀬に向けてお忙しい日々が続きますが、
お元気でご活躍ください

向寒の折、
どうぞ温かくしてお過ごしください

めっきり冷え込むようになりました。
お風邪などひかれませんように

くれぐれも夜寒にお気をつけくださいませ

秋晴れの日を、
皆様お健やかにお過ごしください

秋冷の候、
体調を崩されませんようご自愛ください

2022

235

1 火

2 水

3 木 文化の日

4 金

5 土

6 日

November

7 月

8 火

9 水

10 木

11 金

12 土

13 日

2022

14 月

15 火

16 水

17 木

18 金

November

19 土

20 日

21 月

22 火

23 水　勤労感謝の日

24 木

25 金

26 土

27 日

November

28 月

29 火

30 水

November

11 月にできたこと

月の終わりに、今月あったいいことを、忘れないよう書いておきましょう。
時間をおいて読んでみたら、心がほっこりします。

感動した映画・本など   すてきな言葉

うっとりしたこと   感謝してること

おいしかったもの   笑ったこと

今月の私のここがエライ！

12 師走

冬至　22日　乃東生ず

♥ 今日から「心の日照時間」を増やす

　22日は冬至、1年で最も昼が短く夜が長い日です。

　昔から「冬至に柚子湯に入ると風邪をひかない」という言い伝えがあるくらいなので、端午の節句には「菖蒲湯」に入ったことだし、今年の締めくくりにはぜひ「柚子湯」を試してみたいです。

　湯船に柚子を丸ごとプカプカ浮かべたかったら、事前にフォークで何か所か穴を開けておきます。小さい子がいたら、大喜びすることでしょう。

　また半分に切ったり輪切りにしたものなら、ガーゼなどの袋に入れてもいいと思います。敏感肌の人は、柚子をあまり絞りすぎない方がいいかもしれません。

いずれにせよ柚子には血行促進作用があるので、冷え
性や腰痛に効果があり、柑橘系のいい香りで心身のリラ
ックスも期待できます。
〇師走は、ここまでがんばってきた自分をねぎらう工夫
をいろいろしてみたい

「柚子湯」もそんなねぎらいのひとつになるでしょう。
最も昼が短いこの日ですが、明日からは少しずつ日照時
間が増えていくわけなので……
〇冬至から少しずつ「心の日照時間」を増やしたい

今年の「いいこと日記」ありがとう！
来年も「いいこと日記」よろしくね！

12

月 *Monday*　　　火 *Tuesday*　　　水 *Wednesday*

Weekly to do			
- -			
- -	**5** 仏滅	**6** 大安	**7** 赤口
- -	**12** 大安	**13** 赤口	**14** 先勝
- -	**19** 赤口	**20** 先勝	**21** 友引
- -	**26** 先負	**27** 仏滅	**28** 大安

木 *Thursday*	金 *Friday*	土 *Saturday*	日 *Sunday*
1 赤口	**2** 先勝	**3** 友引	**4** 先負
8 先勝	**9** 友引	**10** 先負	**11** 仏滅
15 友引	**16** 先負	**17** 仏滅	**18** 大安
22 先負	**23** 赤口	**24** 先勝 クリスマスイブ	**25** 友引 クリスマス
29 赤口	**30** 先勝	**31** 友引	

2022

12 月にしたいこと

欲しいもの、したいこと、行きたいところ。
月の初めに記しておきましょう。
そして月の終わりに、
できたかどうかを□にチェックしましょう。

自分との約束

□ _____

暮らし

□
□
□

本

□
□
□

健康

□
□
□

映画・音楽・テレビ

□
□
□

もの

□
□
□

お店

□
□
□

イベント・旅

□
□
□

□
□
□

お礼・贈り物

□ ▶
□ ▶

□ ▶
□ ▶

時候のあいさつ

12月（師走）は、お歳暮、クリスマス、大掃除など
バラエティ豊かながら慌ただしい月といえます。
1年の感謝の気持ちもこめられたあいさつ文になるといいですね。

下旬 ← → 上旬

書き出し

今年のカレンダーも残り一枚となりました

師走の風の冷たさを実感する今日この頃です

クリスマスのイルミネーションが、美しい季節になりました

当地では雪のちらつくこともある昨今ですが、いかがお過ごしですか

年の瀬も押し迫り、慌ただしくなってまいりました

新しい年の準備にお忙しいことでしょう

結び

空気が乾燥しています。くれぐれもお風邪などめしませんように

気ぜわしい日々が続きますが、お体にお気をつけください

皆様で素敵なクリスマスをお楽しみください

一年の感謝をこめ、まずはごあいさつまで

今年も大変お世話になりました。来年もよろしくお願いいたします

ご家族皆様お揃いで、よい年をお迎えください

2022

1 木

2 金

3 土

4 日

5 月

6 火

7 水

8 木

9 金

10 土

11 日

December

12 月

13 火

14 水

15 木

16 金

17 土

18 日

19 月

20 火

21 水

22 木

23 金

24 土

25 日

12 第5週

26 月

27 火

28 水

29 木

30 金

31 土

12月にできたこと

月の終わりに、今月あったいいことを、忘れないよう書いておきましょう。
時間をおいて読んでみたら、心がほっこりします。

感動した映画・本など

すてきな言葉

うっとりしたこと

感謝してること

おいしかったもの

笑ったこと

今月の私のここがエライ！

2022年のまとめ

12月のおまけページ

2022年の
いいことランキング

1年の終わりに、今年の総括をしてみましょう。
あれこれ思い出してみるきっかけとして、今年の〈いいこと〉ベスト10を書き出してみて。
見るたびに、宝物のような日々がよみがえります。

1

2

3

4

5

6

7

8

9

10

2023

1

月	火	水	木	金	土	日
						1
2	3	4	5	6	7	8
9	10	11	12	13	14	15
16	17	18	19	20	21	22
23	24	25	26	27	28	29
30	31					

2

月	火	水	木	金	土	日
		1	2	3	4	5
6	7	8	9	10	11	12
13	14	15	16	17	18	19
20	21	22	23	24	25	26
27	28					

3

月	火	水	木	金	土	日
		1	2	3	4	5
6	7	8	9	10	11	12
13	14	15	16	17	18	19
20	21	22	23	24	25	26
27	28	29	30	31		

4

月	火	水	木	金	土	日
					1	2
3	4	5	6	7	8	9
10	11	12	13	14	15	16
17	18	19	20	21	22	23
24	25	26	27	28	29	30

5

月	火	水	木	金	土	日
1	2	3	4	5	6	7
8	9	10	11	12	13	14
15	16	17	18	19	20	21
22	23	24	25	26	27	28
29	30	31				

6

月	火	水	木	金	土	日
			1	2	3	4
5	6	7	8	9	10	11
12	13	14	15	16	17	18
19	20	21	22	23	24	25
26	27	28	29	30		

7

月	火	水	木	金	土	日
					1	2
3	4	5	6	7	8	9
10	11	12	13	14	15	16
17	18	19	20	21	22	23
24	25	26	27	28	29	30
31						

8

月	火	水	木	金	土	日
	1	2	3	4	5	6
7	8	9	10	11	12	13
14	15	16	17	18	19	20
21	22	23	24	25	26	27
28	29	30	31			

9

月	火	水	木	金	土	日
				1	2	3
4	5	6	7	8	9	10
11	12	13	14	15	16	17
18	19	20	21	22	23	24
25	26	27	28	29	30	

10

月	火	水	木	金	土	日
						1
2	3	4	5	6	7	8
9	10	11	12	13	14	15
16	17	18	19	20	21	22
23	24	25	26	27	28	29
30	31					

11

月	火	水	木	金	土	日
		1	2	3	4	5
6	7	8	9	10	11	12
13	14	15	16	17	18	19
20	21	22	23	24	25	26
27	28	29	30			

12

月	火	水	木	金	土	日
				1	2	3
4	5	6	7	8	9	10
11	12	13	14	15	16	17
18	19	20	21	22	23	24
25	26	27	28	29	30	31

2023年の夢リスト

来年に向けて新しい夢が湧いてきたら、忘れないうちに書きとめておきましょう。

中山庸子（なかやまようこ）

群馬県生まれ。女子美術大学、セツ・モードセミナー卒業。
県立女子高校の美術教師を経て、現在、エッセイスト、イラ
ストレーターとして活躍中。自らの夢を実現した体験とその
方法を綴ったエッセイ『夢ノート』シリーズで圧倒的支持を
得て、以降、『「夢ノート」のつくりかた』をはじめ、『いいこ
と日記』『朝ノートの魔法』『書き込み式 わたしの取扱説明書
ノート』など、数々の自分応援ノートのつくりかたを発表、
いずれもロングセラーとなった。そのノート術に信頼が寄せ
られるノートマスター。

ホームページ
https://www.matsumoto-nakayama.com/

インスタグラム
https://www.instagram.com/matsumoto_nakayama_office

ツイッター
@iikoto_yoko

ブログ
http://www.matsumotonakayama-blog.com/

書き込み式
新 いいこと日記 2022年版

2021年9月27日　第一刷

著者　　　　中山庸子
デザイン　　中山詳子、渡部敦人
イラスト　　松本孝志、中山庸子
発行者　　　成瀬雅人
発行所　　　株式会社 原書房
　　　　　　〒160-0022　東京都新宿区新宿1-25-13
　　　　　　電話・代表　03-3354-0685
　　　　　　http://www.harashobo.co.jp/
　　　　　　振替・00150-6-151594
印刷・製本　シナノ印刷株式会社